⊔

Anant Kumar

DIE INDERIN

Prosa

Mit Grafiken von Victor Delfín
und einem Nachwort
von Christian Harkensee

Wiesenburg Verlag

Die Deutsche Bibliothek - CIP Einheitsaufnahme

Kumar, Anant:
DIE INDERIN: Prosa / Anant Kumar -
Grafiken: Delfin, Victor
Schweinfurt: Wiesenburg Verlag, 1999
ISBN 3-932497-32-5

Wiesenburg Verlag, Postfach 4401, 97412 Schweinfurt
www.wiesenburg-verlag.de
Druck: Digital-Druck Pöhlmann, Birkach
ISBN 3-932497-32-5

Gewidmet
einer winzigen Ameise,
die es - sei es durch List oder sei es durch Geduld - schafft,
in den Rüssel eines toll gewordenen Elefanten zu kriechen.
Sie kitzelt ihn solange durch,
bis er seine zahme, hilfsbereite Urnatur wieder gewinnt.

1. Modern Times

Das Asylantenheim geriet in Aufruhr, als Montag morgens die Mitbewohner den Bangladesher Abdul Qasim mit einem hübschen, hiesigen Techno-Mädchen sahen. Abdul Qasim, der 30 jährige Asylant aus Bangladesh, der kaum Deutsch verstand, spielte unter den anderen Asylanten wegen seiner Habichtnase den Spaßmacher. Und ausgerechnet diesen Idioten sollte das Glück treffen? Sein Glück verursachte - logischer- und menschlicherweise - bei den anderen frustrierten Männern, darunter besonders bei seinen Landsleuten, dermaßen Neid, dass Abdul Qasim in den darauf folgenden Tagen das Heim verließ. Legal oder illegal. Wir wissen das nicht. Natürlich werden der männliche Trieb, die Geborgenheit und vielleicht auch ein wenig die Liebe bei seinem Zusammenziehen mit der hübschen Freundin eine wesentliche Rolle gespielt haben. Was Martina an ihm gereizt haben soll, darüber wird bis heute vielerlei spekuliert.

Während ihrer viermonatigen Beziehung mit diesem Asylanten soll sie einigen guten Freunden, denen man immer wieder Lebensgeheimnisse anvertraut, erzählt haben:

„Er kocht sehr gut! - Schön scharf!"
„Er ist auch scharf - ein scharfer Lover!"

Aber wie für uns bestand auch für Martina das menschliche Leben nicht bloß aus dem Fressen und dem Fortpflanzungstrieb. Sondern es gab darüber hinaus wichtigere Sachen, z. B. Kultur und geistige Nahrung. Wieviel oder ob Abdul Qasim geistige Nahrung besaß, werden wir später erfahren. Richtig ist, dass es von Anfang an zwischen Martina Rindvieh und Abdul Qasim eine große Sprachbarriere gab. Die ersten paar Brocken Deutsch brachte ihm die Sozialwesenstudentin mit der üblichen Didaktik bei:

„Man sagt auf Deutsch...!" oder
„Das sagt man auf Deutsch nicht!"

Oft gab es dabei Gelächter und Späße. Die Freundinnen Martinas drückten ihre Freude über seine Sprachverwirrungen und -fehler harmlos kichernd aus: „Das ist aber süß!" oder „Das war süß!" Und darauf Abdul Qasim mit seiner Habichtnase: „Häh! Häh! Häh! Dutsch - Ein schwer Sprache! - Sehr kompliz!" Und er zeigte seine Zähne weiter, die ein beachtliches Lob bei Martinas Freundinnen fanden. Martina und ihre Freundinnen demütigten jedoch Abdul Qasim nicht wegen seiner Fehler oder schlechten Aussprache. Sondern sie sagten: „Aber man kann dich verstehen." Jede von ihnen war auch mit der wissenschaftlichen Feststellung Abdul Qasims einverstanden, dass „Dutsch" eine sehr schwere Sprache sei. Die Marlene sagte darauf: „Gott sei Dank, dass sie meine Muttersprache ist. --- Komische Grammatik!"

Aber irgendwann wurde Martina Rindvieh all dieses langweilig und manchmal zuviel. Und analog vermehrte sich ihr Verlangen nach der eben erwähnten geistigen Nahrung. So lernte sie zufällig auf Juttas Fete einen Engländer kennen, der sehr gut Englisch sprach und schon bei der ersten Begegnung anfing, Martinas Abitur-Englisch zu verbessern. Dabei ermutigte er sie immer wieder. Mal erklärte er ihr den Gebrauch eines Begriffes. Mal erklärte er ihr, wo man was in England sagt. Dabei kamen sehr witzige Sachen raus, zum Beispiel, dass die Iren nicht „Fucking Shit" sondern „Focking Shait!" sagen. Und Mike blieb ein bescheidener Gentleman mit seinem sich wiederholenden Kompliment: „But your English is pretty good!". Das war genau, wonach sich Martina in den letzten Tagen sehnte. Ihre Stimme wurde weicher und süßer, und sie sagte immer wieder wie eine Lady: „Thank you!" Und der Gentleman darauf: „You are welcome!" Der Abend wurde süßer und länger. Händchen wurden gehalten und zärtlich gestreichelt. Man sang die wehmütigen Phil Collins-Lieder mit. Als frühmorgens Martina mit schlaf- und romanzetrunkenen Augen in die Wohnung eintrat, wartete Abdul Qasim mit blutunterlaufenen Augen auf sie. Ein wenig nervös und noch mehr erbost. Es gab zwischen den beiden Krach, der sich weiter zuspitzte. Martina wollte sich aber sofort zum Schlafen hinlegen und vom süßen Abend weiter träumen. Und der Bangladesher wollte es vorher mit ihr treiben. „Nein! Hände weg! Nur das hast du in deinem schmutzigen Kopf! Du Schwein!" Gekränkt musste sich Abdul Qasim zurückziehen.

Schon am zweiten Tag brachte Martina den Mike in ihre Wohnung. An dem Abend tranken alle drei Tee, und es wurde sich auf Englisch unterhalten. Das Gespräch wurde durch Abdul Qasim noch witziger, weil er wie gewöhnlich ein wenig Englisch mit starkem „Indischen Akzent" sprach. Dauernd fragte der Mike: „Sorry, what?" oder „Excuse me?" Und die Martina übersetzte die Aussprache Abdul Qasims weiter, sagend: „He has a strong Indian accent!" Und der Gentleman sagte einverstanden: „Yes! You are right! I had a friend from Bombay in Manchester who spoke like him!" Die Gespräche über die documenta-Kunst sagten dem Asylanten nichts. Er langweilte sich dabei und wurde allmählich noch eifersüchtiger. Ihm wurde die bevorstehende Gefahr klarer, die ihre Krönung darin fand, dass beim Abschied Martina den Mike fest umschlang und küsste.

Zum ersten Mal weigerte sich Abdul Qasim an jenem Abend zu kochen. Er warf ihr sogar vor: „Du! Warum nicht kochen?" Martina versuchte vergeblich das mit ihren anderen Arbeiten auszugleichen. Der Zank wurde diesmal schlimmer. Die beiden fingen an, mal „Eure Kulturen" und mal „Die deutsche Kultur" schlecht zu machen. Irgendwann sagte der Mann zu der Frau: „Du, deutsche Hure!" Wir sollten besser die Deutschlehrer fragen, um genau zu wissen, warum man in einer Fremdsprache die Schimpfwörter und Liebeswörter unbedingt und schnell lernen möchte. Mit dieser Bezeichnung hatte es aber der Sozialwesenstudentin gereicht.

„Raus! Pack Deine Sachen und raus!" brüllte sie ihn an.

Der Asylant raus und der Gentleman rein. Und damit verwandelte sich das Techno-Mädchen Martina in die Lady Martina. Jean Pascale-Kleidung wurden vom schwarzen Kostüm und die

Buffalos-Schuhe von eleganten, hochhackigen Schuhen ersetzt. Man sah das Paar regelmäßig in Theater und Oper. Die Gesprächsthemen waren nicht Clubnews und Hitliste sondern die neueste Inszenierung der Dreigroschenoper oder das neueste Buch von John Grisham. Sie zog sich von vielen alten Bekannten und Freunden zurück. Dafür wurden neue Freundschaften geschlossen. Die Studienanfängerin, die die Studenten meistens in Caféterien sahen, besuchte nun die Vorlesungen und Seminare regelmäßig, und eifrig beteiligte sie sich an den Diskussionen. Diese Metamorphose irritierte einige Mitstudenten, alte Bekannte und Freunde. Dafür wurde ihre Beziehung zu ihren Eltern besser. Ihr Vater, ein Gastwirt in Kaufungen, hatte sich tierisch aufgeregt, als er von Martinas Affäre mit Abdul Qasim erfahren hatte. „Es gab keinen anderen Mann als diesen Asylanten!", soll er wütend seiner Frau gesagt haben. Die neue Geschichte von Martina ließ ihn wieder ruhig atmen. Erfreut hatte er seiner Tochter sein altes und sich selbst ein neues Auto geschenkt, damit Martina die Eltern leichter und öfter besuchen konnte. Mike und Martina. Martina und Mike. Es war doch jetzt schöner und besser.

Es war doch jetzt schöner und besser. Und dieses Jetzt dauerte ein halbes Jahr. Nach einem halben Jahr hat sich Martina von Mike getrennt. „Es waren halt zu viele kleine Dinge, die sich auf Dauer aufgestaut hatten. Und ich konnte dann alles nicht mehr ertragen! - Aber mehr möchte ich nicht darüber reden. Gut, dass es vorbei ist!", und ähnliches sagte sie über die neueste zu Bruch gegangene Beziehung. Nur ihrer besten Freundin, der Sibylle, ist es gelungen, an einem späten Abend im Rausch aus Martina darüber etwas ganz Prickelndes herauszukitzeln. Es waren *Zisseltage*. Sibylle war lange solo. Und Martina war jetzt solo geworden. Zur Zeit hatte sie keinen Bock auf die Männer. Vieles unternahmen die beiden Freundinnen zusammen.

Gibt es einen Mensch ohne Neugier? Vielleicht in Indien! Da soll es Yogis geben. Sollten wir sie auch mit Menschen gleichsetzen? Das bleibt den Lesern überlassen. Auf jeden Fall gehörte Sibylle zu denen, die gerade das Gegenteil von diesen gleichmütigen Yogis bilden, was die Neugier und das Aufregen anbelangt. Ein männliches Verbrechen in Saudi Arabien aus der Tageszeitung reizte Sibylle dermaßen, dass sie besonders an jenem Tag, an dem ihr diese Nachricht begegnete, alle Männer - sogar die Deutschen - voller Verachtung und Wut ansah.

Also, es war ein Tag des Kasseler Volksfestes. Die beiden Freundinnen liefen angetrunken und heiter umher. Man wollte seinen Spaß haben. Als der Abend fortschritt, waren die beiden mehr oder weniger besoffen und fingen an, die Männer und die Männerwelt zu verdammen. Martina wurde lauter und Sibylle fing an, sie weiter zu kitzeln: „Du hast doch in der letzten Zeit mit Männern aus allen Weltecken zu tun gehabt! Hi! Hi! Hi! - Oder?" Darauf äußerte Martina besoffen über den Asylanten aus Bangladesh: „Er war dumm. Aber er f... sehr gut! - Echt geil!" Diese Äußerung bestätigte wiederholt die alte These: „Dumm f... gut!" Danach soll sich die Martina über die Potenz des Gentlemans beschwert haben. Der Engländer hätte immer wieder in jener Kunst versagt. Danach gingen die beiden in den Erotikladen am Königsplatz, in dessen Einzelkabinen Multinationalitäten sich an Bildschirmen entspannten. Die angeheiterten Frauen amüsierten sich richtig im Spaßladen. Sie nahmen Spielzeuge in die Hand und ließen diese Geräte bewundernd kluge Sprüche ab:

>Wozu brauchen wir denn die Männer?<
>Für gar nichts! Diese Dinge sind fähiger und geiler! Hi! Hi Hi<

Als die Insassen der Erleichterungskabinen dieses Gelächter hörten, öffneten sich auf einmal zwei, drei Türen in der Hoffnung auf Live.

Aber was geschah inzwischen dem Asylanten? Abdul Qasim, nachdem er von seiner deutschen Freundin in den Arsch getreten worden war, musste zwangsläufig ins Asylantenheim zurück. Da übernahm er von jetzt an seine verdoppelte Rolle als Spaßmacher unter den anderen Flüchtlingen. Seine Habichtnase als Spottschau hatte er sowohl den Männern als auch den Frauen weiter anzubieten. Noch witziger und würziger für die Männer wurde sein neuestes Abenteuer, dass er von einer Frau rausgeschmissen worden war. So blieb Abdul Qasim weiter ein Opfer für die Unterhaltung der anderen traurigen Schicksale. Sie machten sich endlos lustig über ihn und ließen Sprüche raus, z. B. der algerische Junge wiederholte dauernd: „Hey! Abdul Qasim! Warum rausgeschmissen - du - das Mädchen? Dein schön Nase oder was?" Abdul Qasim duldete alles. Er war in tiefe Depressionen geraten. Verständlich. Aber seine Depressionen hatten wenig mit dem üblichen Trennungsschmerz zu tun. Jetzt packte ihn die Angst vor der Abschiebung von neuem.

Viele von uns wissen Bescheid, dass in Deutschland die Asylsuchenden während ihrer Verfahren ihren Wohnbezirk nicht verlassen dürfen. Uns ist auch bekannt, dass viele es trotzdem tun. Mit oder ohne Erlaubnis. Einige werden erwischt. Viele nicht. Viele werden dafür bestraft. Und selten kommt einer mit Hilfe eines wirklichen oder erfundenen Grundes ohne Strafe raus. Abdul Qasim gehörte zu denen, die leider erwischt werden. Er verließ zweimal seinen Wohnbezirk. Und beide Male wurde er von der Polizei ertappt. Das erste Mal hatte er Glück. Er sagte dem Richter, dass er von diesem Gesetz nichts wusste und sein einziger Freund und Landsmann auch als Asylant in Hamburg wohne. Damals wurde er mit einer Warnung entlassen. Beim zweiten Mal hatte er Glück im Unglück. Der Tag, an dem er vor Gericht vorgeführt wurde, stand zu seinen Gunsten. Der dicke Übersetzer, der in der Stadt ein Fernsehgeschäft hat und gewohnheits- und geschäftsmäßig ununterbrochen nur ans Geld denkt, hatte an diesem Tag Durchfall. Und gezwungenermaßen wurde die Philologin aus Indien, die mehrere Sprachen des indischen Subkontinents beherrscht, als Ersatz bestellt.

Sawitri, die ihr Leben den Sprachen und der Literatur gewidmet hat, genießt einen widersprüchlichen Ruf auf dem Campus. Von einigen wird sie stets für ihren Fleiß, Intelligenz und Hilfsbereitschaft gelobt. Und einige finden sie arrogant. Sie soll ihren Freund aus ihrer Wohnung rausgeschmissen haben, nur weil er sie eines Abends aus bloßer Neugier zu viel über die indischen Kühe fragte. Sie erzählte das Claudia am nächsten Morgen und als Schluss sagte sie weiter irritiert mit dem amerikanischen Akzent: „Fuck it! Who cares!" Danach unterhielten sich die Kommilitoninnen miteinander über die komische Inderin.

Das Amtsgericht war neu für die Akademikerin, und die Justizatmosphäre voller Rechtsanwälte und Klienten wirkte ein wenig einschüchternd auf die Studentin. Ihr kam es vor, als ob dieser Tempel der Justiz ihr auch irgendein Verfahren anhängen würde. Na ja, sie dachte an den Stundenlohn von DM 75, --, und dann ging es ihr wieder besser. Kurz vor dem Verfahrensbeginn kam Abdul Qasim aus der Zelle, vom Sicherheitspersonal begleitet, und sah Sawitri. Gewohnheitsmäßig faltete die Inderin ihre Hände zusammen, und sie tauschten die Begrüßungen. Absichtlich oder unabsichtlich, ließ Abdul Qasim eine bewegende Verszeile eines klassischen Dichters Indiens fallen, sobald er erfuhr, dass seine Dolmetscherin eine Hindu ist. Diese Zeile ist humanistisch auch im Sinne von Nathan dem Weisen und heißt: „Religion lehrt uns nicht gegenseitige Feindseligkeit!" Der Dichter dieses Textes, auch ein Muslime, gehört zum Kanon der indischen Poesie, und dieser Text genießt den Status der Nationalhymne Indiens. Die Intellektuellen - wenn auch manchmal heuchlerisch - nehmen ständig Referenz auf ihn. Sawitri, die als Abiturientin in Indien immer wieder dieses Lied mitgesungen und es während ihrer langjährigen Europaverfremdung fast vergessen hatte, wurde von Abdul Qasims Satz ergriffen und aufgewühlt. Und der Mann, der vieles im Leben mitgemacht hatte, sah eindeutig die Wirkung seines Spruches auf die Studentin. Als Sawitri ihn fragte, woher er diesen Spruch kannte, log er sie notgedrungen an, indem er ihr sagte, dass er ein großer Fan von Allama Iqbal, dem Dichter, wäre. Dann wurde das Gespräch von den Polizisten abrupt unterbrochen. Sawitri war sehr bewegt und innerlich schwor sie: „Für Dich werde ich etwas tun, Bruder!" Äußerlich sagte sie ihm jedoch laut auf Deutsch: „Ich kann für Sie nichts tun. Ich bin bloß Ihre Dolmetscherin!" Das beruhigte die irritierten Polizisten ein wenig. Desto nervöser wurde der Asylant.

Die Verhandlung fing an. Aus seiner Akte ging hervor, dass sein Vater in Dhaka ansässig sei und ein Kleidungsgeschäft besitze. Die Anklage der Staatsanwältin bezog sich darauf. Es ließ sich durchaus behaupten, dass Abdul Qasim beide Male versucht haben soll, in Hamburg eine Geschäftsverbindung anzuknüpfen. Vehement lehnte Abdul Qasim diesen Verdacht ab. Zu seiner Verteidigung sagte er, dass die psychische Vereinsamung und Depression ihn zwangen, seinen alten politisch-verfolgten Kumpel, der in einem Asylantenheim in Hamburg wohnt, zu besuchen. Die Literaturwissenschaftlerin sah jetzt ein Argumentationsmotiv in diesem richtigen oder erfundenen Grund. Sie dolmetschte Abdul Qasims Äußerungen rhetorisch durchdacht, und immer wieder hob sie die psychischen und menschlichen Aspekte hervor. Sie brach dabei den heiligen Schwur des treuen Übersetzens, indem sie Abdul Qasims Äußerungen hie und da zu seinem Vorteil veränderte. Dabei sagte sie zu sich: „Scheißegal! Ich begehe tagtäglich Sünden!"

Der Richter sagte: „Aber es ist gesetzeswidrig und strafbar. Ich kann ihn persönlich auf der menschlichen Ebene verstehen. Aber das Gesetz lässt das nicht zu. Außerdem wurde er schon einmal vorgewarnt."
„Wieso nicht, Euer Ehren? Sie sind doch auch ein Mensch! Stellen Sie sich mal vor - in einer Gegend ohne Sprache und ohne Gesprächspartner zu leben. Tagelang! Wochenlang! Monatelang! Was würden Sie tun?"

So wurde eine Weile hin und her argumentiert. Die Staatsanwältin war verärgert, weil sich der Richter für eine lange Zeit in seine Kammer zurückzog und dann dem Angeklagten gegen ihre Erwartung eine milde Strafe zusprach: „Zehn Stunden Arbeit in einer gemeinnützigen Einrichtung."

Während dieser interessanten Verhandlung verstand Abdul Qasim wenig von der Sprache der Inderin. Aber ihren Eifer schon. Außerdem war er von der milden Strafe selbst überrascht, weil jeder im Heim ihn endlos geängstigt hatte, sogar Karl Heinz, der Sozialarbeiter. Draußen schaute er auf ihre Füße und überlegte irgendeine Danksagung. Beide standen eine Weile stumm. Sawitri verstand seine Gefühle. Sie klopfte ihm lässig auf seine Schulter: „Das war's! Glück gehabt! Jetzt musst Du weiter Dein Schicksal erkämpfen." Es nieselte, und Sawitri ging heiter mit großen Schritten zur Haltestelle, an der sie dasselbe Lied aus ihrer Schulzeit summte, in dem die Verszeile „Religion lehrt uns nicht die gegenseitige Feindseligkeit!" als Leitmotiv vorkam. Ein fetter Mann im schwarzen Anzug und mit einer gelben Krawatte fand die Melodie fesselnd und ging lächelnd auf die Inderin zu. Übertrieben höflich fragte er sie schmeichelhaft:

„Entschuldigen Sie, welche Sprache ist das? Sie klingt sooo schöön!"

Die Inderin hörte abrupt auf und sagte:

„Französisch!"

„Wollen Sie mich verarschen oder was? - Unverschämt!" Erbost entfernte sich der Mann.

An jenem Tag war Abdul Qasim froh und traurig.

2. Ein hübscher Gedanke

>... Und jetzt hat unsere Annette endlich mit dem Vogel Schluss gemacht. Seit dieser Komiker aus Indien zurück ist, hat er sich vollkommen verändert. Davor hat er so schön mit ihr Tantra geübt, dass sie jedem ihrer guten Freunde dauernd von seiner fröhlichen Lebensenergie erzählte. Aber während seiner diesmaligen Indienreise ist er in falsche Hände geraten. Weiß der Geier, wie dieser Kamasutralehrer in einem buddhistischen Kloster gelandet ist. Und seitdem er hierher zurück ist, labert er die sinnliche Annette die ganze Zeit mit der „geistigen Energie" und „Suche nach der echten Spiritualität" voll. Laut ihm soll man jetzt die körperliche Passion zähmen. Diese Energie soll zur Entfaltung der geistigen Kraft benutzt werden. Sex ist auf einmal für ihn etwas Schmutziges geworden... Obendrein wollte er Annette einfach nicht loslassen. Immer wieder sagte der Mönch gewordene Westeuropäer:
„Deine Nähe tut mir gut. Laß uns über >Karma-Yoga< unterhalten. Du strahlst positive Energien aus. Du guckst mich so schön an..."
Solches Gerede ist jetzt der 20 Jahre jüngeren Annette zuviel geworden.<

>Warum erzählst Du mir denn solches Gelaber weiter?< fragte mich die Inderin etwas irritiert.

Ich blieb eine Weile still. Der Bus kam immer noch nicht. Dann fuhr ich fort.

>.... Weil ich eins nicht verstehe, wieso unsere Annette so lange bei diesem ekelhaftem Typ geblieben ist. Dieser Heini war doch immer ein Kranker. Früher war er in der Burschenschaft, und jeden Abend rülpste er nach einem halben Dutzend Weizen in der Kneipe „Zur deutschen Flotte". Dabei redete er lauthals über die Pflege der deutschen Kultur. Dann machte er auf einmal das erste Tantrazentrum in unserer dörflichen Gegend auf, was jeden von

uns in Schock versetzte. Und eines Abends sah man diesen Fettkloß, dessen Anblick jede gescheite Frau scheute, mit der 20 Jahre jüngeren Annette im Kino... Aber unsere Annette war doch immer das Gegenteil: Natürlich und unkompliziert.<

>Frag mich nicht. Ich bin die falsche Adresse für Beziehungsfragen. Ich weiß wirklich nicht, was zur Zeit in einer Beziehung „normal" und „nicht normal" ist<, sagte mir die Inderin ein wenig ignorant und arrogant.

>Aber wie findest du den Ausgang dieser Beziehung?< versuchte ich als neugieriger Abendländer sie ein wenig zu bedrängen.

>Ich weiß es nicht. Aber da du so starrsinnig darauf beharrst, erzähle ich dir jetzt eine Anekdote von einem Dichter aus dem Orient. Dort, wo man zum Glück kaum „Small-Talk" zum Zeitvertreib führt, sondern die Menschen dazu neigen, sich an dem Schicksal der Mitmenschen zu beteiligen:

Ein Mann und eine Frau saßen an einem Fenster, das zu einem Brunnen hinaus wies. Sie saßen eng beieinander. Und die Frau sagte:

>Ich liebe dich. Du bist hübsch, und du bist reich. Und du bist immer hübsch angezogen.<

Und der Mann sagte:

>Ich liebe dich. Du bist ein hübscher Gedanke. Ein Ding allzusehr abseits, als dass man es in den Händen halten könnte. Und ein Lied in meinem Traum.<
Aber die Frau wurde zornig, und vor Wut wandte sie sich von ihm weg. Sie sagte:
>Mein Lieber, geh jetzt weg! Ich bin kein Gedanke, und ich bin auch kein Ding, das du in deinen Träumen siehst. Ich bin eine Frau. Ich wünschte, dass du mich als deine Frau und als die Mutter ungeborener Kinder begehrtest.<

Und sie trennten sich.
Und der Mann sagte danach zu sich:

>Ein anderer Traum hat sich nun in Nebel verwandelt.<

Und die Frau sagte zu sich:

>Na ja, was habe ich von einem Mann, der mich in Traum und Nebel verwandelt.<

3. Liebt er mich
oder liebt er mich nicht?

Der Typ antwortet mal:
„Ich weiß noch nicht."

Oder mal:
*„Ich muss mir erst mal alles durch den Kopf gehen lassen.
Es ist mir auf einmal zu viel."*

Manchmal sagt er gar nichts, und dann redet er wieder verwirrt irgendwas.

Aber die Inderin stellt ihm immer wieder diese Frage, und sie lässt sich von diesen eher verneinenden Antworten durchaus nicht verletzen. Im Gegenteil: Sie lächelt äußerlich, und im Herzen lacht sie ihn aus:

„Höchstwahrscheinlich ist dieser Mensch hilflos meiner Liebe verfallen. Und er ist vielleicht wie andere seiner Zeitgenossen Opfer seiner Zeit..."

Sie lächelt öfter, und innerlich lacht sie ihn wahrscheinlich weiter aus, auch weil seine Haare seinen Kopf verlassen haben. Aber die Inderin fasst seine Glatze an und sagt: „Na, mein Süßer!" Und der Typ sieht glücklich und stolz aus.

4. Sehnsucht

Sawitri saß in der Ecke. Traurig, nachdenklich und starr. In so einem Gemütszustand sah ich sie selten und traute mir als ihr guter Freund zu, nach ihrem Wohl zu fragen.

>Schlecht!< erwiderte sie meiner Erwartung gemäß.
>Warum?<
>Ich habe Sehnsucht.<
>Hast Du Heimweh? Oder bist Du wieder frisch verliebt?<
>Vielleicht!<

So antwortete die Inderin oft: lakonisch und nicht eindeutig klar. Und ich als neugieriger und moderner Abendländer versuchte, immer wieder herumzustochern. Wie diesmal:

>Ach komm, erzähl mal!<
>Setz dich hin!< sie fasste meinen Arm, und sie setzte mich neben sich. >Gut, ich erzähle dir eine Sehnsuchtsgeschichte aus dem Orient, wo meine Wurzeln sind:

Majnu, der Geliebte, hat seine Laila lange nicht sehen können. Seine Sehnsucht wurde immer größer und unerträglicher. Verzweifelt heulte er und bat Gott:

>*Allmächtiger, schick mir meine Laila zurück!*<

Und so betete er lange – sehr, sehr lange.

Und Gott schenkte endlich Majnus Klagerufen Gehör. Eines Abends, als Majnu weiter wegen Laila heulte und Gott ununterbrochen um ihre Wiederkehr bat, klopfte es an der Tür. Schluchzend fragte Majnu:

>*Wer ist da?*<
>*Laila!*<

20

>Wer?<
>Laila! Deine Laila!<
>Nein! Das kann doch nicht wahr sein! Geh weg! Geh weg!<
>Bist du wahnsinnig geworden? Ich bin es! Ich bin... deine Laila!
Mach doch die Tür auf!<
>Nein! Geh weg! Geh weg!< schluchzte Majnu weiter.
>Hast du vollkommen deinen Verstand verloren? Solange sehnst
du dich ungeduldig nach mir. Jetzt bin ich da und du sagst „Geh
weg!"<
>Ja, Laila! Vielleicht habe ich doch den Verstand verloren. Und
nun soll mir die Sehnsucht nach dir nicht vergehen.<

Und Majnu schluchzte weiter...

5. Kennen

An dem darauf folgenden Tag hatte die Inderin wieder ihre gewöhnlich gelassene Laune. Aber es war nicht mein Tag, und ich war schlecht drauf.

>Na, mein Lieber, wie geht's?< fragte sie mich kichernd.
>Schlecht.<
>Wieso? Heute haben wir endlich einen warmen Tag. Es duftet überall... Ab und an nach Honig.<
>Ach! Stress! <
>Mit Alexandra?<
>Ja! Ich habe immer wieder das Gefühl, dass wir uns nicht gut kennen.<
>Wieso nicht gut kennen? Ihr seid doch drei Jahre verheiratet!<
>Ja. Aber immer wieder diese unterschiedlichen Kulturen! Sie muss jedes Wochenende tanzen gehen. Mit ihren afrikanischen Landsleuten! Klar fehlt mir so ein Temperament! Ich komme nicht klar mit diesen Männern, die auf der Tanzfläche ihre Hüften wie Weiber wackeln lassen. Ein Mann ist ein Mann! Dann bin ich lieber ein Abendländer!... Mal ruft sie einen Libanos und mal ruft sie einen JUMBO aus Kenia an. Dann hört man hallendes Gelächter am Apparat. Das macht mich nervös. Ich möchte nach der Arbeit meine Ruhe haben. Dienstags, wenn ich früh aufhöre, kommt sie spät nach Hause! Frag mich jetzt, was sie macht? Sie übersetzt umsonst Texte bei einem Nigerianer - verbitterte Gedichte vom Suaheli ins Deutsche. Natürlich bleibe ich dann auch länger in meiner Kneipe. Ich lasse mir nicht alles gefallen! Sie ist doch jetzt in Deutschland! Mein Gott, wir haben doch hier genug Kultur!<
>Hmm!< äußerte sich die Inderin zu meinem Monolog. Nach einer Weile fragte sie mich nachdenklich:
>Und du denkst, dass du sie immer noch nicht kennst.<
>Ja, was denn noch?<
Die Inderin blieb eine Weile still, und dann:
>Ich erzähle dir, was Herr Keuner unter KENNEN verstand:

22

Herr Keuner befragte zwei Frauen über ihren Mann. Die eine gab folgende Auskunft:
>>*Ich habe zwanzig Jahre mit ihm gelebt. Wir schliefen in einem Zimmer und auf einem Bett. Wir aßen die Mahlzeiten zusammen. Er erzählte mir alle seine Geschäfte. Ich lernte seine Eltern kennen und verkehrte mit allen seinen Freunden. Ich wußte alle seine Krankheiten, die er selber wußte, und einige mehr. Von allen, die ihn kennen, kenne ich ihn am besten.*<<
>>*Kennst du ihn also?*<< *fragte Herr Keuner.*
>>*Ich kenne ihn.*<<
Herr Keuner fragte noch eine andere Frau nach ihrem Mann. Die gab folgende Auskunft:
>>*Er kam oft längere Zeit nicht, und ich wußte nie, ob er wiederkommen würde. Seit einem Jahr ist er nicht mehr gekommen. Ich weiß nicht, ob er wiederkommen wird. Ich weiß nicht, ob er aus den guten Häusern kommt oder aus den Hafengassen. Es ist ein gutes Haus, in dem ich wohne. Ob er zu mir auch in ein schlechtes käme, wer weiß es? Er erzählt nichts, er spricht mit mir nur von meinen Angelegenheiten. Diese kennt er genau. Ich weiß, was er sagt, weiß ich es? Wenn er kommt, hat er manchmal Hunger, manchmal aber ist er satt. Aber er ißt nicht immer, wenn er Hunger hat, und wenn er satt ist, lehnt er eine Mahlzeit nicht ab. Einmal kam er mit einer Wunde. Ich verband sie ihm. Einmal wurde er hereingetragen. Einmal jagte er alle Leute aus meinem Haus. Wenn ich ihn >dunkler Herr< nenne, lacht er und sagt: Was weg ist, ist dunkel, was aber da ist, ist hell. Manchmal aber wird er finster über diese Anrede. Ich weiß nicht, ob ich ihn liebe. Ich...*<<
>>*Sprich nicht weiter*<<, *sagte Herr Keuner hastig.* >> *Ich sehe, du kennst ihn. Mehr kennt kein Mensch einen anderen als du ihn.*<<

6. In der Vorlesung

In einer Literaturvorlesung stellte der Professor in seiner *Übergangspause* der Zuhörerin aus Indien unerwartet die Frage: „Gibt es auch in Indien Schriftsteller der Moderne?"

Für eine Weile blieb die indische Studentin still, und dann antwortete sie lächelnd: „Ja! --- So viele wie Kartoffeln!"

Der Vorlesungssaal brach in Gelächter aus.

Der Professor, ein wenig irritiert, aber vorgeblich lachend, bat sie wieder: „Könnten Sie uns diesen Vergleich ein bisschen erläutern, weil Ihr Vergleich zu banal scheint."

„Ja. --- Aber das stimmt auch! Diese Autoren sind einerseits wie Kartoffeln unzählig. Andrerseits bleiben sie für viele noch unter dem Boden verborgen. Vielleicht wird man diese Erdschicht irgendwann beiseite schieben und sich die darunter verborgene Frucht schmecken lassen." Sie lächelte weiter, aber die anderen nicht.

Weiß Gott „Warum?"

7. Das Literaturkolloquium

Wie meine Freundin, eine gebürtige Inderin, mir mitteilte, geht sie einmal monatlich in ein ägyptisches Lokal. Hier trifft sich ein sich stets erneuernder Verein der Universitätsmitglieder unter dem Decknamen „Literaturkolloquium". Wie die meisten anderen ist diese öffentlich angekündigte Benennung halb richtig und halb trügerisch. „Literatur" ist durchaus da, wenn auch in perverser, verzerrter Form. Aber anstatt „Kolloquium" sitzt da ein „Koloss", der mit seinem Gewicht diese Bande dirigiert. Übrigens dieses Wort „Bande" ist keine fiktionale Erfindung von mir. Meine Freundin sagt, dass er seine Untertanen bei der Eröffnung der jeweiligen Sitzung mit dieser Bezeichnung begrüßt. Und die Studenten, die mit wenig Fleiß und mehr Beziehung eine angenehme Karriere machen möchten, betrachten es als Witz und lachen gleichzeitig und ähnlich. Meine Inderin lacht auch mit, und dabei wird sie innerlich rot. Dieser Vereinsbesitzer gebraucht oft sein altes, lateinisiertes Studium, und der lateinischen Stillehre folgend benutzt er für seine Bande der Literaturstudenten einige Varianten: „Club", „Versammlung", „Fussballverein" u.ä. Der Witzgehalt dieser Termini scheint unerschöpflich zu sein. Jeder seiner Untertanen, der auf irgendeine halbe Stelle oder ein Stipendium seine Hoffnung setzt, bricht beim Anhören derartiger origineller Begriffe sofort in Gelächter aus. Manche Untertanen lachen über fünf Jahre und sättigen dabei ihren Bedarf an literarischen Pointen.

Sogar ich als griechischer Koch weiß, dass sich in einem Kolloquium von Bedeutung und Tradition her über ein Thema unterhalten wird, und in einer Räuberbande etwas Kriminelles von Oben nach Unten geleitet wird. Daher findet meine Inderin doch eine gewisse Ehrlichkeit bei diesem Universitätsgelehrten, der offen wie ein Mafiaboss seine Welt diktaturartig regiert. Schade, dass sie so klein ist, und im Vorzimmer dieses ägyptischen Lokals hört man den Skatverein respektlos lachen. Dieser Koloss hat in seinem Verein eine Hierarchie gebildet, die während seines Plenums ihre Klappe bis zu einer gewissen Grenze aufmachen soll. „Bis zu einer gewissen Grenze" ist hier wichtig, sonst sagt er arrogant und abrupt: „Gut! Wir brauchen es nicht zu diskutieren!" Der Angesprochene, der eine Doktorandin oder ein nicht fest angestellter Unidozent sein kann, hört sofort auf und lacht wie die neu angekommenen Untertanen: *Häh! Häh! Häh!*

Oben wurde gesagt, dass die Mannschaft dieses Vereins dauernd erneuert wird. Aber diese Erneuerung ist nicht mit einem leistungsbedingten Wechsel in einem Fussballverein zu vergleichen. In diesem Fall kriegt man plötzlich keine Einladung mehr, deren Porto auf Kosten von „Forschung und Lehre" vom Fürstentum Literaturwissenschaft übernommen wird. Warum? Darüber unterhalten sich die Untertanen heimlich zu zweit, und es entstehen Gerüchte. So sagte meine Freundin, dass zwei hübsche Studentinnen des Kolloquiums kurz hintereinander rausgeschmissen wurden. Es gibt genug „Rauch". Über „Feuer" wird spekuliert. Die Italienerin sitzt jetzt im Kolloquium eines anderen Professors, der noch nicht so dick wie der Koloss ist und diesen furchtbar scheut. Apropos Italienerin. Es gibt noch drei exotische Exemplare da: einen Ghanesen, eine Chinesin und meine Inderin, deren Aufgabe es ist, ununterbrochen zu lächeln und freundlich zu bleiben. Da ich meine Freundin sehr gut kenne, kann ich auch als Abendländer ihr vieldeutiges, asiatisches Lächeln aufschlüsseln. Und dabei gibt sie mir auch Recht. Sie lächelt auch, wenn sie böse ist oder etwas sehr kritisch unter die Lupe nimmt. Das ist ein anderes Lächeln, das ein allgemeiner Europäer, mit Sicherheit jedoch dieser Koloss, nicht durchschauen kann oder eigentlich nicht durchschauen möchte. Derartige Menschen betrachten die Welt eingleisig und beharren hartnäckig auf ihren Anschauungen. Alles andere finden sie komisch-eigenartig. Ach ja! wir sind jetzt doch beim Thema „Ausländer". Dann muss an dieser Stelle lobend und anerkennend erwähnt werden, dass der Koloss mit einer Chilenin verheiratet ist. Er interessiert sich auch für Ausländerfragen. Aber er liest nicht die von den Ausländern geschriebene Ausländerliteratur. Dazu sagt der kolossale Germanist: „Ich kenne doch alles. Mir geht es genauso, wenn ich da unten mit meiner Frau Urlaub mache. Ich fühle mich da auf einmal fremd!" Dabei zeigt er eine Weile seine gelben Zähne.

Diese dauernde Veränderung verleiht diesem Kolloquium die Gestalt einer Amöbe. Jedes Jahr gibt es eine Phase, in der dieser Verein einen Mitglieder-Boom erlebt. Die Mitgliederschaft ist ganz einfach und unkompliziert, wie der Assistent Hans Jürgen, der halb Wissenschaftler und halb Freak ist, mit gespielter Sorglosigkeit uns erklärt. Der Student oder die Studentin kriegt eine offiziell adressierte und inoffiziell frankierte Bundespost, in der eine dreizeilige Einladung steht. Der Riese lockt viele Studenten damit, dass eine Möglichkeit besteht, einen kolloquium-internen Schein zu machen. Die Mitgliederanzahl verringert sich jedoch abrupt, weil die heutigen Hiphop-Studenten seine Projekte doch sehr langweilig finden, z. B. das neueste, angekündigte Projekt lautet: *Handschriften der höfischen Bibliothek Lamberg!* Bei so einem Projekt ist ein zusätzliches Problem, wie man die drei übriggebliebenen Exoten, die als treue Exponate auf jeder Sitzung anwesend sind, mit integrieren soll. Klar sprechen sie sehr gut Deutsch! Aber wird ihnen die mit der Hand geschriebene alte Deutsche Schrift nicht zuviel? Der erfahrene Koloss hat dafür eine brisante, pragmatische Lösung, die nur zum Erfolg des Projektes beitragen kann. Der Chinesin wird die Aufgabe erteilt, während der Ausstellung eine Teestube zu verwalten, die die Besucher an die *Chinoiserie* jener Zeit erinnern soll. Meine Inderin kriegt sogar die wichtigste Rolle: Sie wird in ihrem roten Sari und mit dem roten Punkt auf ihrer Stirn die Ausstellung eröffnen. Dabei soll sie einen Vers aus *Bhagvadgita* auf Original-Sanskrit rezitieren, weil in jener Zeit auch der deutsche Gelehrte *Friedrich Rückert* in seinem Indienwahn heilige Schriften aus dem Sanskrit ins Deutsche übertragen hat. Diese Idee von ihrem Papst finden die einheimischen Forscher echt Spitze, und man hört Ausrufe: „Wie schön! Ach wie schön! ..." Aber die Inderin beherrscht die Brahmanensprache nicht, und ihre Aussprache von Sanskrit ist besonders mangelhaft. „Das merkt keiner. Alles kommt sehr gut an!", sagte sie mir nachher lachend. Aber was ist mit diesem

Ghanesen. „Wir müssen auch für Sie was finden.", denkt der Riese eine Weile nach. „Vielleicht beim Ausklang der Ausstellung tragen sie die Zusammenfassung vor. Und dann folgt ein Trommelsolo von Ihnen. Der Oberbürgermeister wird auch dabei sein." Und der Ghanese nickt ihm zu - halb lächelnd und halb grinsend. Man weiß nicht, in wessen Augen er dabei schaut. In die Augen des Kolosses oder in die Augen der Inderin, die hinter dem Koloss sitzt. Weil die beiden einverstanden zu sein scheinen: Der Koloss schmunzelt zufrieden und die Inderin lächelt.

8. In Bayern

Viele Studenten warten dringend auf die Semesterferien. Wir wissen sehr wohl den Grund. Natürlich zum Jobben! Und bei den meisten Ausländern aus dem Süden ist dies sowieso eine Notwendigkeit.

So landete in den letzten Ferien eine indische Studentin in einem kleinen bayrischen Dorf, Urfeld am Walchensee, als Serviererin im Hotel Post. Die ziemlich anstrengende Arbeit ließ sich durch die schöne, frische Umgebung ausgleichen. Was der Inderin zum Teil Schwierigkeiten bereitete, war die mundartlich gefärbte Sprache. Wir wissen sehr gut, welche Gemeinsamkeiten und Unterschiede Amtsdeutsch und Bayrisch haben. Wir sind auch Leuten begegnet, die das eine mit dem anderen verwechseln. Daher wurde die anders aussehende Inderin logischer- und selbstverständlicherweise öfter gefragt: „Verstehen Sie Deutsch?" oder „Können Sie Deutsch?" Mit einem Lächeln sagte sie mal „Ja!", mal „Ein wenig!" oder mal „Es geht!" Wenn beim Gästebedienen ein Kommunikationsmissverständnis vorkam, trösteten die Gäste mitleidig die indische Kellnerin: „Deutsch ist schwer! Gell?" Und die Inderin darauf ein wenig schüchtern und ein wenig lächelnd: „Ja! Sehr!" Damit war ihr fast immer der Fehler verziehen. Gutes Geld und sattes Essen. Es war alles in Ordnung.

Wenn ein Mensch lange in einem Dorf mit circa 40 Einwohnern lebt, sehnt er sich nach dem Großstadtrummel. Den Dorfbewohnern dieser Region bietet so etwas die Weltmetropole München. Ruhetage in Gaststätten und die Mitarbeiter auf nach München!

An einem Montagnachmittag saß die Inderin nach einem langen Spazierbummel in München müde im Nahverkehrszug und döste. Zufällig saß ihr gegenüber Fritzl, den sie nicht erkannt hatte. Aber der Fritzl sie schon, weil er im selben Dorf beheimatet war und sie in der letzten Zeit oft gesehen hatte. Sei es wegen ihrer indischen Schönheit oder weil sie anders war. Die Inderin wirkte auf die Dörfler auffallend. Und aus menschlicher Neugier wollte jetzt Fritzl ein Gespräch mit ihr anfangen. Ein weiterer Grund war, dass unser Fritzl seit einigen Wochen Englisch lernte, und jetzt war für ihn eine passende Zeit und Gelegenheit, seine englische Sprachfertigkeit zu testen oder zu üben. Aber man hört in dieser Zeit auch ständig, dass für einen gutherzigen Bayern Englischsprechen nicht leicht ist, wie Deutsch für Ausländer. Fritzl fing an: „Do you...!", und er geriet vor Nervosität ins Stottern. Die Inderin schaute ihn fragend an. Jetzt wurde unser Fritzl noch nervöser und in diesem Zustand kam mechanisch aus seinem Munde in perfektem Bayrisch: „Verstehst du Deutsch?"

„Ja Ja! Deutsch schon, aber das andere sehr schlecht!" sagte die Inderin und guckte zum Fenster hinaus.

9. Das Leben

Daseinsformen von Menschen, Tieren, Pflanzen;

„So ist es im Leben, Herr Eckart!", höre ich jedes Mal einige Male aus dem Munde meines Chefs. Scheinbar ist mein Chef auf seine klugen Sprüche angewiesen – wie ich auf meinen Job. Immer wenn er möchte, findet er erst mal einen Fehler in meiner Arbeit. Dann folgt eine Belehrung, die er mit der erwähnten Weisheit abschließt:
„So ist es im Leben, Herr Eckart!"

Heute war mein Chef wieder nicht guter Laune. Daher erhielt ich mehrmals die Belehrungen. Er war richtig sauer, als er mir heute die allerletzte Belehrung gab – abschließend: „So ist es im Leben, Herr Eckart!"

Mein Chef ist ein rechthaberischer Mensch, und er versucht jede Feststellung mit seiner Vernunft zu begründen. Zum Beispiel: „Uns Deutschen geht es gut. Dafür arbeiten wir saugut und sauhart."

Nach dem Feierabend kam ich traurig aus der Halle. Was bleibt denn einem Studenten, dem es finanziell nicht sehr gut geht, übrig, als von seinen Jobs weiter abhängig zu bleiben? Nach langer Suche fand ich diesen einigermaßen gut bezahlten Job.

In einer irritierten Gemütsverfassung dachte ich etwas mehr über das Leben nach:
Das Leben ist halt ein Leben, das aus traurigen und schönen Seiten besteht. Viele wollen sich absichtlich von der dunklen und traurigen Seite des Lebens entfernen. So konzentrieren sich diese Art Menschen nur auf die heitere und witzige Seite des Lebens, obwohl ihr Alltag im Prinzip so grau wie das deutsche Wetter im November aussieht. Seinem Verhalten und meiner Vermutung nach gehört mein Chef zu diesen Menschen. Bloß keine

31

*Erwähnung der Begriffe, z.B. Tod, Krankheit, Leiden, Hungern, ... Derartige Menschen können damit wenig anfangen. Anstelle dieser Wörter kommen Spaß, Laune, Urlaub, Kalifornien, Ich... in Frage. Der Osten bleibt diesbezüglich auch nicht unangetastet. Diese „positiv eingestellten Lebewesen" werden immer offener den östlichen Dingen gegenüber, z.B. Kamasutra, Tantra, Kundalani-Yoga, einmal im Jahr Ayurveda-Kur... Sie wollen immer Neues im Leben erleben. So kann ein Künstler gar nichts falsch machen, wenn er sein Kunstwerk >Das Leben ist eine Baustelle< nennt. Witzig! Problematisch wird so was dann für die anderen, zeitgenössischen Künstler. Sie müssen sich weiter um Lebensdefinitionen bemühen, die noch witziger, origineller und einfallsreicher sind, z. B. Liebe ist Leben, Das schöne Leben ohne Männer oder >**Das Leben ist ein Furz in der Laterne.**<*

Wie Sie auch an der Schriftart merken, ist die vorangegangene, allerletzte Lebensdefinition nicht von mir erfunden. Diesen philosophischen Spruch entnahm ich gestern dem Plakat einer Dichterlesung. Meine lieben Damen und Herren, da ich selbst kein Dichter und Denker bin, habe ich als ein Abendländer mit keiner überdurchschnittlichen Intelligenz an ein nicht sehr angenehmes Tätigkeitswort gedacht, als ich das Substantiv „Furz" auf dem Plakat las. Und da ich eher konservativ und streng erzogen bin, machte ich von Kindheit an gewohnt ein komisches, unangenehmes Gesicht. Dabei geschah in meinem Leben wieder etwas Eigenartiges. Zufällig schaute sich auch mein indischer Kommilitone im selben Moment das Plakat an, und er verzog genauso sein Gesicht wie ich. Das überraschte mich noch mehr. Aber weil ich mich in der letzten Zeit dank der Einflüsse meiner Inderin eher zurückhalte, habe ich mir nicht zugetraut, den Kommilitonen danach zu fragen. Außerdem habe ich von ein paar Leuten gehört, dass dieser Inder launisch sei. Na ja, das ist jetzt für uns unwichtig. Was mich wunderte und beunruhigte, war die Frage, wieso hat er nach dem Lesen des Plakates den gleichen Gesichtsausdruck gehabt? Dachte er auch an dasselbe Handlungsverb wie ich? Ist er auch streng und konservativ erzogen worden wie ich? Oder war das nicht doch unsere gemeinsame indo-germanische, arische Verhaltensweise? Aber *das Plakat war auf Deutsch! Und Deutsch ist doch eine schwere Sprache? Beherrscht er Deutsch genauso wie ich? Ach!, es ist doch Käse, wenn man behauptet, dass man als Ausländer genauso gut Deutsch wie die Deutschen kann. ... Oder doch? Dabei dachte ich an einen Witz über die Bayern: >Was ist der Unterschied zwischen einem Türken und einem Bayern?< - >Der Türke spricht besser Deutsch als der Bayer!< Wir kennen doch alle diese Witze! Oder? Ist es nicht der Sinn für den Humor? >Der Inder reagiert manchmal empfindlich, weil ihm der Sinn für den Humor fehlt<, sagte mir Michaela. Aber Indien wurde doch jahrhundertelang von Engländern regiert. Warum haben die humorvollen Engländer den Indern in dieser ewigen Zeit nicht ein wenig Sinn für Humor im Leben beigebracht? Lesen diese Kuhanbeter nicht Shakespeare wie wir?*

Das Leben kam mir am heutigen Tag noch eigenartiger vor. >Soll ich bei Sawitri vorbeischauen? Vielleicht erzählt sie etwas Interessantes für meine Gemütsveränderung. Auf alle Fälle kriege ich eine warme Tasse Tee. Nicht schlecht bei dieser Kälte!< Daran denkend schritt ich in die Richtung des Wohnheims.

Die Temperatur war weiter gesunken und die Bäume standen laub- und leblos.

Die Inderin wohnt im 5. Stock des riesigen Studentenheims. Ich klingelte, und die Tür ging auf. Zum ersten Mal sah ich diesen Fahrstuhl außer Betrieb. „Scheiße, echt nicht mein Tag", fluchend und keuchend ging ich die Treppe hoch und klopfte an ihre Tür – mich auf eine warme Tasse Tee freuend. Keine Antwort. Ich klopfte nochmals. Keine Antwort - keine Reaktion. >Sawitri, was soll das sein? Wenn Du jetzt Deine Ruhe haben möchtest, warum hast Du mir dann die Tür unten aufgemacht?< Weder eine Antwort noch eine Reaktion. >Dumme Kuh!< schimpfend ging ich zurück. Der Fahrstuhl funktionierte wieder. Ich drückte den Knopf. Der Fahrstuhl kam hoch. Die Tür öffnete sich und die Inderin (oder ihr Geist?) kam raus. Zu Tode erschrocken stand ich starr am Boden verwurzelt. Die Inderin rüttelte mich heftig:

>Was ist dann los mit Dir? Bist Du noch am Leben?< Und sie fasst mein kreidebleiches Gesicht an.

10. Die verzweifelte Kinogängerin

Liebe Frau I.

mit diesem Anschreiben bittet Sie um einen guten Rat eine leidenschaftliche Kinogängerin, die sich auf einmal seit einigen Tagen nicht mehr im Kino aufhalten kann. Sogar ein Kinoplakat bringt mich ins Schwitzen.

Das hängt mit meiner abgebrochenen Beziehung zusammen. Mit einem schwarzen Studenten aus Togo war ich etwa vier Monate zusammen. Ein Soziologe, der die Bücher frisst: Von der Weltliteratur bis zur Weltgeschichte. Im Gegensatz zu ihm lese ich sehr wenig und gehe wahnsinnig gern ins Kino: Von Startrek bis zu Jane Austen-Verfilmungen. Zweimal wöchentlich muss es sein. Dieser Gegensatz, weil der Togoaner in fünf Jahren nur einmal ins Kino gegangen ist, war auch kein Problem in unserer Beziehung. Den eigentlichen Grund seiner Kinoentsagung hatte ich durch eine Provokation herauskriegen können. Wie vermutet: Das Geld. Mit seinen Ferienjobs hat er Schwierigkeiten, sich über Wasser zu halten. Übertrieben selbstbewusst teilte er mir das mit, und lachte dabei höhnisch rätselhaft. Manchmal denke ich jetzt, dass sein immer wieder höhnisches Lachen doch nicht eine Rache auf meine Provokationen war. Glauben Sie mir, bei seinem Gelächter wurde mir manchmal richtig schlecht. Na gut! Aber als er seine finanzielle Sorge doch zugab, machte ich ihm in meiner frischen Liebe das Angebot, dass ich ihn hin und wieder ins Kino einladen würde. Ich denke im nachhinein, da er mich in jener Zeit liebte, war er von meinem Angebot gerührt und umarmte mich. Es kam eine Abmachung zustande: Ich nehme ihn ab und an ins Kino mit. Er revanchiert sich, indem er wöchentlich einmal seine Kochkunst zeigt. Jene Nacht war ein Feuer, dessen Flamme glühte - erlosch - und immer wieder aufglühte bis zum Vogelzwitschern.

Diese Abmachung, wie manche in vielen Leben, wurde jedoch nie erfüllt. Liebe Frau I., in der Gesellschaft, in der Sie und ich leben und in der Altersphase, in der wir uns befinden, passiert es nicht selten, dass Beziehungen auch wegen Kleinigkeiten zertrümmert werden. Nach einer Woche unserer schönen Abmachung haben wir uns getrennt. Und jetzt hat sich meinerseits der unerfüllte Wunsch in einen Alptraum verwandelt. Als fleißige Studentin und selbständige Frau kam ich am Anfang mit der Trennung besser klar. In traurigen Momenten tröstete ich mich mit Sprüchen, z.B. *Er war doch arrogant und dominant wie die meisten Männer! Scheißegal! Es gibt noch andere geile Männer und andere geile Möglichkeiten.* Als ich mich dann doch in diese Krise steigerte, ging ich zum Frauenreferat: Da legte Frau Martina Heldmann diese Beziehung auf zwei Ebenen aus. Erstens sind die Männer von ihrer Natur aus machtsüchtig und dominant. Zweitens der Kulturunterschied. Wir wissen sehr wohl durch unsere Kulturforschung, dass im Allgemeinen die Frauen in diesen Ländern den Männern untergeordnet sind. Und da dieser Student aus Togo da unten aufwuchs, ist es für ihn sicher nicht einfach, mit den selbständigen Frauen hier zurechtzukommen. Frau Heldmann sieht die Wurzel meines gegenwärtigen Hanges zu ihm und des ununterbochenen Leidens eindeutig in unserer masochistischen Gesellschaft. Sie hat mir das Buch von der anerkannten amerikanischen Wissenschaftlerin *Natalie Shainess* empfohlen: *Keine Lust Zu Leiden - Der Ausweg aus dem Teufelskreis weiblicher Ängste.* Kennen Sie auch dieses Buch? Nach Frau Heldmann sollte mir diese Lektüre helfen, mich von meiner Krise zu befreien und mein Schicksal selbst in die Hand zu nehmen.

Aber all diese Vorschläge und Deutungen haben mir wenig geholfen. Alles gerät durcheinander: der Verstand und vor allem der Körper. Lange, schöne Hände und noch hübscher die Beine und Füße. Ein Manneskörper, der schlank und gleichzeitig zäh und im Geschlechtsakt unermüdlich ist. In den letzten Nächten sitze ich durchnässt in meinem Bett und heule endlos. Liebe Frau I., glauben Sie mir, Ihnen würde es auch nicht anders gehen, wenn Sie einmal so etwas gekostet hätten. Vor allem mein Togoaner sprach nicht, sondern er sang. Und er ging nicht, sondern er bewegte sich wie ein Tänzer. In einigen Momenten bin ich äußerst verzweifelt und finde öfters mein Verhalten meinem abgegangen Liebhaber gegenüber ignorant und überheblich. Der schlaue Süße hat kurz vor der Trennung meine Sprüche als Waffe gegen mich benutzt. Er wiederholte ständig meine Sätze, um mir eine Antwort zu geben: *Das musst Du besser selber wissen! ... Ich weiss es nicht... So bin ich... Ich kann nichts dafür. Ich bin so, wie ich bin...* Arschloch! Erst hat er mich durch seine Stimme und angeberische Bescheidenheit gefesselt. Und dann so was. Das Schlimmste ist, dass ich mir jetzt kein Kinoplakat mehr ansehen kann. Vergessen wir den Film. Mir wird dabei schwindlig, und in meinem Kopf hallt dann nur die Abmachung: Gut, du lädst mich zum Film ein. Und ich koche was Leckeres für uns. Und dann...

Liebe Frau I., ich wende mich an Sie in der Hoffnung, dass Sie mir ein paar Ratschläge geben werden, damit ich wieder ein einigermaßen normales Leben führen kann. Zum Beispiel: Wann und wie könnte ich eigentlich einen Film im Kino wieder genießen? Könnten Sie mir was vorschlagen? Soll ich eine Weile an gar keinem Kino vorbeilaufen? Oder sollte ich doch absichtlich öfter ins Kino gehen und mich zwingen, mir den Film – egal wie - bis zum Ende anzusehen, damit die Gefühle richtig abgestumpft werden. Zur Zeit komme ich gar nicht weiter. Bitte helfen Sie mir!

Ihre verzweifelte >Freundin<

Marlene

PS. Liebe Frau I., ich suche gerade bei Ihnen einen Rat, weil Sie zwischen Kulturen aufgewachsen sind und einen sehr breiten Erfahrungshorizont besitzen.

Liebe Frau Marlene,

haben Sie erst mal meinen herzlichen Dank für Ihr Vertrauen in mich. Danke auch für den Hinweis auf das Buch der amerikanischen Wissenschaftlerin. Bei Gelegenheit werde ich mir das Buch anschauen.

Hiermit muss ich leider Ihnen zu meinem und Ihrem Bedauern meine Ratlosigkeit in Ihrem Falle gestehen. Es ist traurig, aber ich weiß nicht, womit ich Ihnen in Ihrer jetzigen Lage helfen könnte. Ich möchte Sie jedoch nicht aufhalten, sich an PsychotherapeutInnen und BeraterInnen zu wenden. Es gibt sicher einige, die sich auf ähnliche Fälle spezialisiert haben und Sie besser beraten können als ich.

Alles Gute wünscht Ihnen

Ihre I.

PS. Selbst eine Lesefanatikerin, möchte ich Sie in diesem Fernseh- und Netzzeitalter anspornen, weiter gedruckte Bücher zu lesen. Auch wenn zur Zeit sehr viel Schund geschrieben und gedruckt wird.

11. Nehmen wir mal an

Zwei Menschen neigen sich zueinander:
Zwei Frauen oder
zwei Jungs
oder *klassisch*
ein Mädchen und ein Junge

Die Gefühle
wallen –
nicht selten wie
auf der hohen See ein Sturm.
Und wie früher die Schiffe
werden sie heute oft zertrümmert

Ob es Gründe gibt
oder werden sie auch wie Dichtung erfunden

Vieles möchten viele klären
und noch mehr rückt ins Unerklärliche

Als Trost neigen sich noch Menschen

Nehmen wir mal an
sie tun es...

12. Der Falkenjunge

Sawitri liebt Raubvögel. Davon mag sie am meisten den Falken. Sie sagte mir: „Ein Falke ist weder zu groß noch zu klein. Sein Körper ist wohlgeformt, und ein Falke fliegt ästhetisch: Ewig gleitet er lässig unter einem azurblauen, indischen Himmel. Aber er kann seine Geschwindigkeit blitzschnell erhöhen. Und beim Jagen schießt er. Er ist nicht gierig und sitzt nicht lange um ein verfaultes Aas. Und jetzt erzähle ich Dir eine Falkengeschichte:

Ein erschöpfter Aasgeier, dessen Rinderaas von Hyänen weggenommen wurde, saß sauer und fragte sich:
>Werde ich scheitern?
Oder scheiter ich schon?<

Ähnlich grübelte verzweifelt ein indischer Uhu, dem eine Schlange entlaufen war:
>Entrinnt mir die Fähigkeit?
Oder beharrt sie auf Gestrigem?
Oder ob ich sie jemals besaß?<

Seine philosophische Quintessenz zog der Adler nüchtern:
>Jeder Gedanke hat seine Rechtfertigung.
Und damit jedes Verzweifeln.<

Unbekümmert von all diesem flog ein Falke höher und wilder. Seine Krallen stürmten. Mal schnappte er mit Erfolg einen Fisch. Aber oft stießen seine Krallen schmerzhaft bloß gegen die Felsen. Voller Schmerz flog der Falke noch höher und noch wilder. Und dabei dachte er sich: >Das ist meine Natur. Das ist meine einzige Fähigkeit. Nichts anderes kann ich ...< Somit drehte sich der Falkenjunge blitzschnell und seine Krallen stürmten.

Anmerkung:

Zu 2. Ein hübscher Gedanke:
Die Anekdote ist entnommen: *Gibran, Kahlil: Prophet,*
Madman, Wanderer, Penguin Books, St Ives Plc
(England) 1995, S. 54. und vom Autor übersetzt.

Zu 5. Kennen:
Herr Keuners Geschichte entstammt dem Band: *Steinbach,*
Dietrich (Hg.): Bertolt Brecht >Geschichten< mit Materialien,
Stuttgart 1983

Literatur, Kunst und Leidenschaft

von
Christian Harkensee

Es ist ein eigenartiges Paradoxon der Geschichte, dass der unmittelbare *Ausdruck von Leidenschaft* in einem Kunstwerk erst seit ungefähr einem Jahrhundert zum Tragen kommt. Jahrhundertelang folgte die Menschheit in ihrer Kunst einem idealistischen Anspruch an Form und Ästhetik, von der Kunst des antiken Griechenlands, jener der klassischen Kulturen Indiens, über das europäische Mittelalter, die antiken Hochkulturen Amerikas, die Renaissance bis hin zu Klassizismus und Romantik. Die Künstler jener Epochen waren nicht weniger leidenschaftlich in ihre Arbeit involviert als jene der Gegenwart - doch bestand eine erhebliche Dissoziation zwischen dem leidenschaftlichen Antrieb und der oft einheitlichen Form, in die sich diese Schöpferkraft kanalisierte.

Erst unser Jahrhundert erbrachte ein Aufbrechen aus den Fesseln der bislang geltenden ästhetischen Standards, mit dem Ergebnis, dass der künstlerische Ausdruck von Leidenschaft in den Werken unmittelbarer und intensiver wurde, je pluralistischer sich die Möglichkeiten künstlerischer Manifestation entwickelten. Man schaue sich unter diesem Gesichtspunkt nur einfach einmal die Porträts und Selbstporträts Picassos an. Einerseits mag man kritisieren, dass Kunst dadurch oberflächlicher und konsumierbarer geworden sei, dass sie keine Herausforderung für eine innerliche Auseinandersetzung und ein Lernen und Reifen mehr darstelle, weil sich ihre Inhalte nun sehr schnell erschließen ließen. Andererseits ist dies eine Metapher unseres Zeitalters, die Herausforderung für einen Künstler der heutigen Zeit ist die Gratwanderung zwischen dem Ausdruck seiner *Leidenschaft* in einer von ihm selbst kreierten Form und dem Anspruch, Menschen zutiefst ansprechen, bewegen, berühren zu wollen in einer schnellebigen Zeit voll von oberflächlichen Sinneseindrücken, in der sich die kulturellen Grenzen verwischen. Denn welche Bedeutung noch hätte eine Kunst, die den *Menschen* nicht mehr erreichen wollte?

Dieses Buch ist ein gutes Beispiel für die geglückte Verbindung von Literatur, Kunst und *Leidenschaft* jenseits von Oberflächlichkeit. Für dieses Buch trafen zwei Geister aus zwei unterschiedlichen Kulturkreisen zusammen, die gegensätzlicher kaum sein können: Asien und Lateinamerika; der in Deutschland lebende indische Schriftsteller Anant Kumar und der peruanische Maler und Bildhauer Victor Delfín. Beide verstehen es, jeder auf seine Art, die universale Sprache von *Leidenschaft* zu sprechen. Leidenschaft nicht als eine absichtsvolle, ehrgeizige Form, sondern als ziel- und zeitloses Vehikel auf dem Weg zu *Wahrheit*, welches auf jenem Weg eine Transformation, eine Metamorphose erfährt. Anant Kumar und Victor Delfín haben den ausgetrampelten Pfad des intellektuellen Diskurses verlassen, auf dem sie der Poet und Schriftsteller oder der Maler und Bildhauer sind, und sind eingetreten in das pfadlose Land, in dem sie *Künstler* sind.

Mit *Die Inderin* hat Anant Kumar sich auf eine neue Ebene literarischer Qualität emporgeschwungen. Zog sich in seinem Erstlingswerk *Fremde Frau - Fremder Mann* mit der Auseinandersetzung um die *Fremdheit* noch eineinheitliches Thema durch beinah den gesamten Gedichtband, so wurden in *Kasseler Texte* die Charaktere und Figuren noch neutraler und schwächer und traten unter stärker werdenden, in ihrer Beliebigkeit der Begebenheiten scheinbar wahllos aneinandergefügten Geschichten weit in den Hintergrund – was aber gerade den Reiz des Buches ausmacht. In *Die Inderin* hat Anant Kumar nun nicht nur den Facettenreichtum seiner Stilmittel deutlich erweitert – neben seiner hervorragenden Kurzprosa und Lyrik finden sich Anekdoten, Mythen, Sagen, Satiren und Parabeln - sondern auch eine kluge, starke Protagonistin geschaffen. Man könnte Sawitri durchaus als eine Heldin bezeichnen – ihre heldenhafte Stärke liegt jedoch in ihrem Innern und in ihrem Wesen. Wenn sie sich scheinbar arrogant verhält, dann nur, um sich zu wehren, als eine Art Überlebensstrategie in einer harten und kantigen Gesellschaft, mit deren Symptomen sie aber durchaus zurecht kommt.

Sicher ist Sawitri, die uns an einem roten Faden durch die Welt dieses Buches begleitet wie Ariadne durch das Labyrinth des Minotaurus, schön, jung, klug und hat die großen sanften Augen Indiens. Eine Figur wie herausgestanzt aus dem Bild einer indischen Landschaft, aus dem ein Puzzleteil herausgefallen ist. Doch sie ist mehr als eine selbstbewusste Frau aus einem fremden Land, die aus welchen Gründen auch immer in ein fremdes Land gekommen ist. Sie ist ein Mensch, der Freunde hat und Freundinnen, der sich verliebt, der in Deutschland lebt, der leidet und sich freut, der einen Alltag hat; aber zugleich ist sie die mythische Figur Indiens, die dunkelhäutige Prinzessin, die für ihre Liebe wie einst Orpheus gar in die Hölle hinabsteigt, um ihren Geliebten wieder heraufzuholen....ich stelle mir Sawitri vor wie die junge indische Studentin, die Anant und mir an einem Winternachmittag in einem amerikanischen Fastfood-Café in Berlin den Tee servierte. Sicher hatte sie diesen Job noch nicht lang in diesem Großstadtcafé inmitten der marmornen Glitzerwelt des neuen Einkaufszentrums am Potsdamer Platz, durch das Wachleute in amerikanischen Uniformen patrouillieren, so unbekümmert und fröhlich war sie und so offen ihr Lächeln, das sich auch von Tonnen von Stahl, Glas, Stein und Konsumgütern nicht erdrücken ließ. So wie auch Sawitri, die auch scheinbar wie selbstverständlich Teil ihrer fremden Umgebung ist.

Anant Kumar liebt es, den Leser mit Widersprüchen dieser Art zu locken, zu faszinieren, zu irritieren, zu provozieren. Mit einem selbstbewussten Selbstverständnis fordert er von seinem Leser die Anerkennung nicht als *indischer* oder *deutschsprachiger* Autor, sondern als *deutscher* Schriftsteller, denn es ist die Sprache Franz Kafkas, Alfred Döblins und Thomas Manns, in der er sich nicht nur am besten auszudrücken vermag, sondern die auch zu seiner Identität und Identifikation geworden ist. In diesem Sinne ist Anant Kumar auch nicht Bestandteil der *Ausländerliteratur*, auch wenn einige Kritiker sagen, er bereichere dieselbe um eine interessante Facette. Am ehesten träfe diese Einschätzung noch auf sein erstes Buch zu - hier stand noch die Thematik, wie ein Fremder sich in einem fremden Land fühlt, im Vordergrund. In *Die Inderin* hingegen bilden das Fremde und die Fremden beinah nur noch eine Kulisse. Die Inhalte fügen sich plötzlich so bruchlos ein in ein postmodernes Weltbild: Individualisierung und die große Sehnsucht nach der Nähe, der wir uns mit zunehmender Beziehungslosigkeit selbst im Wege stehen. Fremd fühlen sich nicht nur die Fremden im fremden Land - fremd fühlen wir uns auch mit uns selbst, hier, jetzt. Dies scheint ein bedeutsames Problem zumindest der Industrieländer und jener Länder, die dieser Ideologie nachfolgen, zu sein - ein oberflächlicher Multikulturalismus dürfte sich bestätigt fühlen. Doch genau an diesem Punkt globalisierter kultureller Gleichmacherei hat sich Anant Kumar eben jene kritische Distanz bewahrt, die ihm den ironischen Blick auf uns und auf sich selbst ermöglicht, gerade an dieser Stelle betont er die kulturellen Gegensätze, anstatt sie zu verwischen - das macht die Lektüre *der Inderin* so erfrischend. Und bei all den kulturellen Widersprüchen, die Anant Kumar beschreibt, bei all seinen ironischen Sticheleien, zeichnet er sich dadurch aus, dass er keine Klischees bedient, dass er sich entschieden von jenem literarischen Zynismus abhebt, der mit viel Effekthascherei und inszenierter Provokation Menschen, Geschlechter, ganze Kulturkreise gegeneinander aufhetzt.

Die deutsche Sprache ist Anant Kumar zu seiner *Leidenschaft* geworden. Anant Kumar selbst stellt sich nicht die ihm häufig gestellte Frage, warum er sich für so etwas exotisches wie die deutsche Sprache begeistert. In den Momenten, in denen er schon mal mit zorniger *Leidenschaft* arrogante Germanistikdozenten mit wissenschaftlichen Argumenten mit dem Rücken gegen die Wand zu argumentieren weiß oder sich von jener Art menschlicher Distanziertheit abgrenzt, die als betonte *Ausländerfreundlichkeit* daherkommt, ist er diese Sprache, diese Leidenschaft. Anant Kumar, ein Inder, der zugleich, und darin liegt eben kein Widerspruch, ein deutscher Schriftsteller ist, benutzt die deutsche Sprache als sein Medium zum künstlerischen

Ausdruck. *„Ich bin verliebt in die deutsche Sprache"*, sagt er selbst.

Anant Kumars schriftstellerisches Werk und dessen Perzeption lassen sich nicht eindimensional betrachten und geben Anlaß zu der Hoffnung, dass er sich dauerhaft einer Klassifizierung entziehen und damit ein Schriftsteller bleiben wird, der uns durch seine Sicht der Welt immer wieder genau aufmerken lassen, aufwecken und verändern wird. Während er in Deutschland immer wieder erfolgreich aus der Schublade *Ausländerliteratur* hüpft, dies macht viel vom Charme seines Werkes aus, wird er in Nordamerika, dass ihn sowohl als deutschsprachigen als auch als mittlerweile ins Englische übersetzten Autor kennt, weniger denn als immigrierter Literat denn schon selbstverständlicher als Teil der kulturellen Diversität begriffen. Unbekannt dagegen ist Anant Kumar noch in seinem Heimatland Indien - nicht mehr allerdings unter den indischen Einwanderern in Deutschland, die sein Werk mit kritischer Bewunderung betrachten, da er ein entschiedener Kritiker gesellschaftlicher und religiöser Bevormundung ist und damit am *Status Quo* des Selbstverständnisses vieler Inder in der Diaspora rüttelt.

Denn hinter dem Tenor von Verstehen und Mitgefühl, der in Anant Kumars Texten nahezu spielerisch Protagonisten und Leser sich berühren lässt, steht die schmerzliche Erfahrung eines begabten Professorensohnes aus einer der untersten Kasten Indiens, der sich systematisch um seine gesellschaftlichen Chancen betrogen fühlte, um nun um so vehementer, ehrgeiziger und *leidenschaftlicher* für die Macht der Menschlichkeit, des Geistes und der Vernunft zu kämpfen, ohne dabei jedoch seine feine innere Distanz zum Weltgeschehen und zu sich selbst zu verlieren. Anant Kumar ist ein religiöser Mensch: Er ist Hindu, aber nicht im Sinne einer Anhängerschaft an eine dogmatisierte religiöse Organisationsform. Seine *leidenschaftliche* Tat erwächst unmittelbar aus einem intensiven *sich berühren lassen*. Anant Kumar beschreibt dieses Gefühl als eine ruhige, beständig fließende Quelle, deren Wasser ihn *berührt*, Inspiration ist, die sich nicht nur in sein schriftstellerisches Werk kanalisiert, sondern sich auch über sein Leben selbst und seinen Alltag, zu dem auch sein Wirken für die Menschenrechte gehört, ergießt.

Da erscheint es nicht verwunderlich, wenn zwei *Brüder im Geiste* wie Anant Kumar und Victor Delfín, die sich übrigens bisher niemals persönlich begegnet sind, sich auf intensive Weise angezogen fühlen. Als Anant Kumar zum ersten Mal vor einem Bild Victor Delfíns stand, war er fasziniert und berührt von der vordergründig erotischen Darstellung einerseits, und von der leidenschaftlichen Intensität, die in jedem Ausdruck der Gesichter, in jeder Geste, erhob. Er hatte das Gefühl, in diesem Bild allein die gewaltige Geschichte von Tatkraft und Verzagen, Freude und Leiden, Zerfließen und Zusammenführen im Leben Victor Delfíns verfolgen zu können.

Die Leidenschaft als Maxime durchzieht das Leben von Victor Delfín von Anbeginn. *„Die Kunst ist, wie das Leben, kein vorgezeichneter Weg, keine Karriere, sie ist eine Leidenschaft, eine Leidenschaft mit Risiko".*

Wenn Victor Delfín am Morgen seinen Blick aus seinem Atelierfenster ruhevoll über die langgezogene Bucht von Lima schweifen lässt, von Callao im Norden bis Chorillos im Süden, das heute ruhige Meer, dass auch schon sehr stürmische Tage erlebte, in der Tiefe, und doch zum Greifen nah, denkt er manchmal zurück an die Anfänge. An die Zeit, als er, Sohn eines armen Erdölarbeiters, noch ein Schuljunge war und seinen Mitschülern Spielzeugautos aus Holzresten und Blech bastelte und ihnen Porträtzeichnungen verkaufte, um sich selbst mal Utensilien anschaffen zu können. Damals loderte in ihm, einem *Cholo*[1] aus dem Norden Perus, die Wut auf jene, die ihn, sei es aus Ignoranz oder Rassismus, nicht über die Position eines

---

[1]Cholo: Despektierliche Bezeichnung der Criollos, also der europäischstämmigen, die ökonomische und politische Macht bis heute haltenden gesellschaftlichen Oberschicht,   für Ureinwohner und Mestizen. Wird von Delfín und anderen Künstlern heute wie ein Ehrentitel getragen.

Straßenhändlers oder Bauarbeiters hinauskommen lassen wollten. Damals hatte Delfín ein Ziel, eine Absicht, auf die sein gesamtes Handeln zielte: Er wollte Maler werden. Er bestand die Aufnahmeprüfung für die Kunstakademie in Lima, seinerzeit für einen Bewerber ohne Schulabschluss ein kleines Wunder - noch nicht ahnend, dass er wenige Jahre später sogar der Direktor dieser Institution sein würde. Lateinamerika schien in dieser Zeit, den ersten Jahren nach dem Zweiten Weltkrieg und des enormen Zustroms von Zuwanderern aus der alten Welt, kulturell neu zu erwachen. Der Kunststudent Victor Delfín stürzte sich in die Bohème von Lima, die so sein wollte wie jene in Paris oder New York. Wie kaum ein anderer Künstler seiner Zeit in Peru verweigerte sich Delfín jedoch den herrschenden Lehrmeinungen über Kunst und verband sich mit der zeitlosen Kraft der indianischen Kultur seiner Heimat. Wo seine Malerkollegen nach Europa und Nordamerika schauten und strebten und den jeweils aktuellen Trends der Szene hinterhermalten, studierte Delfín auf den Märkten, in den Werkstätten und den Museen das traditionelle Kunsthandwerk Perus. Er tauchte tief ein in einen gigantischen Horizont kulturellen Wirkens von Jahrtausenden, und begegnete so seinen eigenen Wurzeln, mit und aus denen er die Fähigkeit zu seinem eigenen kreativen Schaffen aufsog. Mit rastlosem Enthusiasmus nahm er die Fährte der versunkenen Hochkulturen des alten Peru auf, die auch heute immer noch, trotz fünfhundert Jahren der Kolonisierung, die kulturelle Identität des Lebens der meisten Peruaner bilden. Und mit freudiger Begeisterung nahm er nach seinem Studium in der Hauptstadt den Posten des Direktors der Kunsthochschule in der Provinzhauptstadt Puno an - heute ein fast unbedeutender Ort am Titicacasee, und doch die Wiege der großen Hochkulturen auf dem südamerikanischen Kontinent.

In dieser Zeit wurde Delfín zu einem leidenschaftlicher Meister der Farbe. Die Farbgebung seiner Bilder ist dieselbe, die man auf der Keramik der *Mochíca*[2] und in den Stoffen von *Paracas*[3]

---

[2]Mochíca-Kultur: Indianische Hochkultur (ca. 100 v. Chr. - 800 n. Chr.) an der Nordküste Perus, berühmt für ihre kunstvolle und ausdrucksstarke Keramik.

findet: Satte, rote und braune Pastelltöne, die den herben Duft der Erde des Altiplano atmen, harmonisieren und kontrastieren in einer atemberaubenden Perfektion mit intensiv leuchtenden Farben. Diese diffizile Farbkomposition als ein Element des Kunsthandwerks, der *Artesanía*, transformiert Delfín ins Künstlerische, und seine moderate und akzentuierte Verwendung abstrakter Bildelemente steigert den Ausdruck seiner Malerei in eine Unermesslichkeit, so als ob erst die Verbindung mit den Elementen der modernen Kunst die Kraft, aber auch das Leid der *Indigenas*[4] spürbar, erlebbar würde. Zunehmend manifestierte sich in Delfíns Werk der Zorn auf die jahrhundertelange, bis heute anhaltende Unterdrückung der indigenen Völker Amerikas und die Ignoranz und Diskriminierung, die er am eigenen Leibe erfuhr, weil er mit seinem Wirken immer wieder Finger in offene gesellschaftliche Wunden legte. Die Wut wurde so groß, dass ihm die Malerei zu feinsinnig wurde, er den Pinsel aus der Hand legen musste, und sein Atelier in eine Metallwerkstatt konvertierte, wo er fortan aus Schrott riesige Tierskulpturen mit monströsen Geschlechtsteilen zusammenschweißte, denen eine unerbittliche Gewalttätigkeit aus der stählernen Seele loderte.

Wenn Victor Delfín heute an seinem Atelierfenster steht und auf die weite Bucht von Lima schaut, ist die Wut, die ihn einst antrieb, ein Künstler zu werden, verschwunden. Vorüber die Zeiten, in denen es eine Idee, ein Ziel, eine Richtung und einen Weg gab. Victor Delfín ist angekommen, weil er es aufgegeben hat, ankommen zu wollen. Nicht aus Resignation, sondern weil er für sich den Zauber des Wirklichen im Augenblick entdeckt hat. Sein unmittelbares Wahrnehmen des Inhalts und der Struktur des Gegenwärtigen, dessen, was *ist*, weniger als ein aktives Hinschauen, sondern vielmehr dadurch, dass sich das Rollenspiel zwischen dem Beobachter und seinem Objekt auflöst, ist der

---

[3]Paracas-Kultur: Indianische Hochkultur (ca. 1400 - 400 v. Chr.) an der südlichen   Küste Perus, wickelte ihre Toten in außergewönlich schöne, farbig gewebte Tücher.

[4]Indígenas: (span.) Hier: Die indianischen Ureinwohner Perus.

Ausgangspunkt seines Handelns geworden; er lässt die einstigen Ideale, die stets eine Diskrepanz schufen zwischen dem Gegenwärtigen und dem Fiktiven, nicht mehr als Absicht seines Handelns zu, denn das hieße, die Unmittelbarkeit des Augenblicks durch den Aspekt von Zeit zu entwerten. Wenn er die Not der Menschen in Peru erlebt, nicht als Beobachter, sondern weil er ihren Schmerz selbst in sich spürt, er selbst dieser Schmerz wird, nicht aus Selbstsucht, denn aus Hingabe, dann ist seine Handlung, aufzustehen und aufzuschreien unmittelbar, absichtslos, nicht mehr getrennt von der Wahrnehmung. Diese Art Handlung ist Leidenschaft, eine Leidenschaft, in der sich kein Wunsch mehr verbirgt, eine Leidenschaft, die ungestüm und furchterregend ist, aber furchtlos. Victor Delfín hat viele Momente von Furcht durchlebt und durchlitten, künstlerische Krisen, persönliche Krisen, bis hin zu Morddrohungen - doch erst als er erlebte, dass er nicht der Beobachter seiner Furcht und von ihr getrennt ist, sondern selber diese Furcht *ist*, ihr Schöpfer ist, gelangte er in einen zeitlosen, furchtlosen Zustand von Leidenschaft. Aus dieser ziellosen Leidenschaft erwächst seine Liebe, die Liebe zur Kunst, die Liebe zu seiner Geliebten und seinen Freunden, die Liebe zu den Menschen in seinem Land.

Diese Liebe ließ ihn einst, obwohl er in Nordamerika fast alles erreicht hatte, was man als lateinamerikanischer Künstler dort erreichen kann, Ruhm, Geld, Preise, Ausstellungen, eine exklusive Galerie in Manhattan, die Aufnahme seiner Werke in die Sammlung des New Yorker *Museum of Modern Art*, dem Pantheon der modernen Malerei der westlichen Hemisphäre - zurückkehren nach Lima, der grauen Stadt am Meer, über der des Sommers eine gleißende Sonne brennt und die im Winter von eisigen Nebeln eingehüllt wird. Diese Liebe ließ ihn zurückkehren in ein Land, dass in Auflösung begriffen war, zerrüttet von wirtschaftlicher Not, Terrorismus und Korruption, und ließ ihn am Tiefpunkt der Krise ein Zeichen setzen gegen die Gewalt und die Angst: Die Erschaffung des *Parque del amor*. Auf einer kahlen Klippe hoch über dem Ozean in Miraflores entstand dieser Park mit der monumentalen Skulptur eines sich umarmenden Paares, einer gaudiesk- bunt gefliesten Umfassungsmauer mit vielen kleinen Nischen und Zitaten der schönsten Liebesgedichte Perus. Eine grüne Oase, in der die Leidenschaft Victor Delfíns spürbar ist, ein Ort der Hoffnung, der Liebespaare aus dem ganzen Land magisch anzieht, ein Ort, der mit Macht auch das gesellschaftliche Tabu offen gezeigter Liebe in der vom Katholizismus geprägten Gesellschaft Perus durchbricht.

Victor Delfíns Serie erotischer Illustrationen, die in diesem Band erstmals überhaupt publiziert werden, rütteln weiter an diesem Tabu. Die Anregung dazu fand er bei den erotischen Keramiken der *Mochíca*, die, bis heute, in den peruanischen Museen meist verschämt in dunklen Winkeln in verstaubten Vitrinen stehen, in Augenhöhe des Betrachters, damit kein unschuldiger Kinderblick darauf fallen möge. Die *Mochíca*-Künstler waren, wie heute Delfín, meisterhaft darin, in eine einzige Keramik, oder wie Delfín heute in ein einzige Bild, das gesamte Spektrum der Gefühle und Gedanken zwischen Menschen gerinnen zu lassen: Liebe, Verzückung, Leidenschaft, Lüsternheit, Zartheit, Gewalt, Sehnsucht, Sanftmut und Haß, Ambivalenz und Entschlossenheit verschmelzen zu einem einzigen Ausdruck, zu einer einzigen Geste.
Dass ihn hier in Barranco fast jeder Taxifahrer kennt und, falls vom Künstler irgendwo auf der Straße angehalten, es als große Ehre betrachtet ihn, den *Maestro*, behutsam und ohne das sonst übliche Gehupe nach Hause zu fahren, liegt nicht an seinem internationalen Ruf als Künstler. Victor Delfín ist heute eine der letzten moralischen Instanzen in seinem von Machtmissbrauch, Terror, Gewaltherrschaft und wirtschaftlicher Ausbeutung zerrissenen Heimatland, einer de-facto-Militärdiktatur hinter demokratischer Fassade. Er ist einer von den Wenigen und der wohl einzige Künstler, die noch laut ihre Stimme erheben gegen die alltäglich gewordene und resigniert hingenommene Gewalt.
„Wenn ich aufhöre zu sprechen, sterben diejenigen, die keine Stimme und keinen Namen haben. Wie kann man noch schweigen, wenn man aus seinem Haus geht und nur Elend und Gewalt sieht? Wenn ich auf die Straße gehe, sehe ich in den Augen der Menschen die Furcht und hinter den Augäpfeln eine kalte Mauer

aus Stein. Die Gewalt hat viele von uns hartherzig werden lassen.".

Wenn Victor Delfín am Abend aus seinem Atelierfenster über das Meer schaut, das jetzt so glatt daliegt wie eine Spiegelscheibe, weiß er, dass all die Geräusche vom Ufer und die dröhnende Musik des Vergnügungsdampfers, der in weitem Bogen durch die Bucht zieht, es nicht einmal an seiner Oberfläche berühren, und das seine in den Tiefen verborgene Kraft, gegen die unser aller menschliches Streben nur wie die Feder einer Möwe im Wind ist, nur den Moment ersehnt, in dem an seiner Grenzfläche zu uns das Denken zur Ruhe kommt. Die menschlichen Leidenschaften, weiß Victor Delfín, sind das Zerbrechlichste.

Biographie des Künstlers:

Victor Delfín, geboren 1929 in Piura / Peru, gehört zu den renommiertesten peruanischen Künstlern der Gegenwart. Aus armen Verhältnissen stammend, erreichte er die Aufnahme in die Kunstakademie von Lima, wo er Malerei studierte. Von 1946 bis 1961 war er nacheinander Direktor der Kunsthochschulen von Lima, Puno (am Titicacasee) und Ayacucho. Anfang der sechziger Jahre längere Aufenthalte in Chile und Ecuador, schließlich in New York, wo ihm zu Beginn der siebziger Jahre als Maler und Bildhauer der internationale Durchbruch gelang. In der Mitte der achtziger Jahre kehrte er nach Peru zurück und bezog ein Haus in Barranco, einem Küstenvorort von Lima, der durch seine Initiative zu einer Künstlerkolonie von kontinentalem Rang wurde. Aufgerüttelt durch die Massaker des Militärs an den Universitäten, ist Delfín heute zu einem der wichtigsten Streiter für die Menschenrechte in Peru geworden.

Biographie des Autors:

Anant Kumar, geboren 1969 in Katihar im nordindischen Bundesstaat Bihar, ist eines der ganz großen jungen Talente der jungen deutschen Literatur. Der Sohn einer Lehrerfamilie lernte Deutsch am Goethe-Institut in New Delhi, bevor er 1991 nach Deutschland kam. Er hat in Kassel Germanistik studiert und sein Studium 1998 mit einer Magisterarbeit über Alfred Döblins Roman Manas abgeschlossen. Nach zahlreichen Veröffentlichungen in Literaturzeitschriften erschien 1997 sein erstes Buch, der Gedichtband *Fremde Frau – Fremder Mann.* Ein Jahr darauf folgte die zweite Publikation KASSELER TEXTE, ein Band mit Prosatexten. Mit DIE INDERIN stellt er nun sein drittes Buch vor. Über Anant Kumars bisherige Literatur fällte **World Literature Today, Oklahoma,** folgendes Urteil:

„Kumars letztes Werk (von beiden Veröffentlichungen im Wiesenburg Verlag) ist untertitelt **Gedichte, Kurzgeschichten, Beobachtungen, Glossen, Skizzen, Reflexionen** *und zeigt nicht nur eine scharfsinnige Beobachtungsgabe, sondern auch ein angemessenes Sprachgefühl und einen schönen literarischen Geist. Seine Texte umfassen eine große Auswahl der Themen, u. a. Geschick eines Nichtdeutschen in Deutschland."*

Erläuterungen zu den Arbeiten von Victor Delfín

Titelseite: *Retrato de Any* (Portrait von Any), Öl auf Leinwand

Rückseite: *Encuentro* (Begegnung), Öl auf Leinwand

Andere Bilder: Mehrere Motive aus der Serie *Grabados eroticos*, Drucke von Linolschnittarbeiten.

Alle Arbeiten befinden sich im Privatbesitz des Künstlers.

Fotographische Reproduktion: Ana María Ortíz, Lima, Peru.

INHALT

Anant Kumar

Fremde Frau – Fremder Mann

- Gedichte -

..., keine Exotik und auch keine politisch korrekte Sympathie für Ausländer machen das Buch lesenswert, sondern die sich beim Lesen einstellende Erkenntnis, daß Menschen einfach nur Menschen sind, egal welche Nationalität im Paß verzeichnet ist.

SUBH (Literaturzeitschrift), Cottbus

In „Fremde Frau – Fremder Mann" ist eigentlich jeder fremd, und dennoch gelingt es Anant, eine gemeinsame Sprache zu finden.

Unicum literarisch, Bochum

Mit spitzer Feder nimmt Anant Kumar gerade die kleinen Begebenheiten aufs Korn, die selbst die scheinbar ach so multikulturell orientierten Zeitgenossen als halbwissende Oberflächlinge entlarven, denen z. B. beim Stichwort Indien gerade mal chicken curry und Kama Sutra einfällt.

Fliegende Literatur-Blätter
Das Literatur-Magazin aus Mainfranken, Schweinfurt

2. Auflage:
Anant Kumar: Fremde Frau – Fremder Mann
Ein Inder dichtet in Kassel
76 Seiten, Broschur
ISBN 3-932497-00-7   DM 17,40
Bestellung über Buchhandel/Institution/
... oder direkt über den Verlag:
Wiesenburg Verlag, Postfach 4401, 97412 Schweinfurt,
e-mail: wiesenburg@t-online.de, FAX: 089/2443 16203
homepage: http://www.wiesenburg-verlag.de

Anant Kumar

KASSELER TEXTE

Gedichte, Kurzgeschichten, Glossen, ...

Anant Kumar stellt in seinem zweiten Buch nach „Fremde Frau – Fremder Mann - Ein Inder dichtet in Kassel-" diesmal eine Mischung aus **Gedichten, Kurzgeschichten, Beobachtungen, Glossen, Skizzen und Reflexionen** vor.

*Kumars letztes Werk (von den beiden Veröffentlichungen im Wiesenburg Verlag) ist untertitelt **Gedichte, Kurzgeschichten, Beobachtungen, Skizzen, Reflexionen** und zeigt nicht nur eine scharfsinnige Beobachtungsgabe, sondern auch ein angemessenes Sprachgefühl und einen schönen literarischen Geist. Seine Texte in beiden Bänden umfassen eine große Auswahl der Themen, u. a. Geschick eines Nichtdeutschen in Deutschland.*

World Literature Today, Summer 1998, Oklahoma

„Kraftvolle und bildhafte Formulierungen kennzeichnen das Schaffen des indischen Schriftstellers Anant Kumar"

Alexandra Koch, HNA

1. Auflage:
Anant Kumar: KASSELER TEXTE
Gedichte, Kurzgeschichten, Glossen, ...
76 Seiten, Broschur, **Vierfarb-Umschlag**
ISBN 3-932497-12-0   DM 19,80

Bestellung über Buchhandel/Institution/
... oder direkt über den Verlag:
Wiesenburg Verlag, Postfach 4401, 97412 Schweinfurt,
e-mail: wiesenburg@t-online.de, FAX: 089/2443 16203
homepage: http://www.wiesenburg-verlag.de

Verehrte Leserin, verehrter Leser,

senden Sie bitte eine Fotokopie dieses Abschnitts ausgefüllt an den Verlag. Sie erhalten dann laufend kostenlos die Verlagsverzeichnisse und den LITERATUR-REPORT, der Sie über die Neuerscheinungen des Verlages unterrichtet, zugesandt.

Wiesenburg Verlag, Postfach 4401, 97412 Schweinfurt
Email: wiesenburg@t-online.de
http://www.wiesenburg-verlag.de
FAX: 089/2443 16203

Diesen Abschnitt entnahm ich dem Buch:

....

....

....

Mein Urteil über das genannte Buch:

....

....

....

....

....

....

Name:...

...................................Straße...

....

PLZ,
Ort..

Bestellung

Hiermit bestelle ich folgende Titel von Anant Kumar aus dem Verlagsprogramm:

1. Fremde Frau – Fremder Mann .... Stück zum Preis von
   DM 17, 40 je Band
2. Kasseler Texte.................................Stück zum Preis von
   DM 19, 80 je Band
3. Die Inderin (*Prosa*) ....Stück zum Preis von
   DM 19, 80 je Band

❑ Wir würden gerne eine Lesung/ ein Interview mit Anant Kumar veranstalten.

Lieferung an:

....

....

....

(Stempel, Unterschrift, Rechnung abwarten)